DEPÓSITO LEGAL: DL NA 53-2019

ISBN: 9798719187808

OM BHAGAVATE SRI RAMANAYA

INTRODUCCIÓN

En los años 30, una vez que Sri Ramana Maharshi se hallaba conversando con un pandit (experto en las escrituras hindúes) sobre los extraordinarios méritos de la Bhagavad Gita, otro visitante devoto que se encontraba en la sala del ashram se quejó de la dificultad de recordar las 700 estrofas que componen la Gita y preguntó a Bhagavan si no podría citar una estrofa esencial para recordarla. En esa tesitura, Sri Ramana señaló la estrofa 20 del capítulo 10 (X: 20) como quintaesencia del sagrado poema:

«!Oh, Gudakesa! (Arjuna), Yo soy el Ser
que reside en el Corazón
de todo ser viviente; Soy el inicio,
el intermedio y el fin de todo ser»

(En el libro aparece como estrofa cuarta)

No contento con lo anterior, Sri Ramana seleccionó cuarenta y dos estrofas de la Bhagavad Gita como 'Gita Sara o Sarah' (La Esencia de la Gita) y las ordenó de manera muy personal en el orden que aquí aparecen. Escribió a mano la versión en sánscrito y luego las versiones en tamil (lengua del sur de la India) y en malayalam, idioma que dominaba a la perfección.

El librito (31 páginas) con la versión sánscrita e inglesa lo publicó Ramanasramam en 1948-49. El texto del poema ocupa las páginas 3-15 y a partir de la página 16 existe un texto explicativo probablemente escrito por Sri Nirajanananda Swami (Chinnaswami, el hermano pequeño de Bhagavan, que era el director del ashram entonces).

La selección y disposición de las 42 estrofas de la Gita fue realizada en su totalidad por Sri Ramana Maharshi.

El texto Gita Sarah forma parte también del tomo de las "*Obras Completas de Sri Ramana Maharshi*" publicadas por Arthur Osborne en 1959. Aparece allí como *"The Song Celestial"*. La versión inglesa dice ser obra del mismo A. Osborne y del profesor Kulkarni y difiere en algunos aspectos de la otra versión mencionada arriba.

Agradezco a Ramanasramam por el permiso de utilizar el texto anteriormente mencionado. También estoy enormemente agradecido a Swami Shantananda Puri (en su edición de esta obrita) por la minuciosa labor de cotejar las estrofas de la Gita Sarah de Ramana con los textos de los tres volúmenes de "*Talks with Sri Ramana Maharshi*".

En nuestro texto encontrarán el original sánscrito, la trascripción en alfabeto occidental y nuestra versión junto con algunas notas. Hemos realizado una traducción lo más fiel posible al texto de Sri Ramana, que tiene bastantes peculiaridades.

Aquí tienen esta condensación de la Bhagavad Gita para el hombre y la mujer con prisa del mundo de hoy.

OM Sri Ramanarpanamastu

Este es mi pequeño trabajo como tributo a Bhagavan Sri Ramana Maharshi.

Espero de verdad que les sirva.

J. Carte, 2018

BREVE NOTA A LA TRADUCCIÓN

En relación al uso de "EL Bhagavad Gita" o "LA Bhagavad Gita" he de decir que la traducción correcta sería en femenino ya que sánscrito así lo es. Es decir, deberíamos decir "La Canción del Señor". Sin embargo, desde la primera traducción al castellano por José Roviralta en 1896, la mayor parte de los traductores la han vertido como "El Bhagavad Gita" (véase listado de traducciones del Gita al español en Wikipedia) y esa tradición de 120 años ha creado ya, a mi entender, un peso en nuestro idioma.

Yo he fluctuado entre ambas.

En todo caso, nada cambia el poder del mensaje del texto.

jc

Sri Gitasarah

MANGALA SLOKA[1]

Partha Sarathi Roopena
Sravayitva Subham Giram I
Parthasyartiharo Devah
Krupammortih Sa patu nah II

ESTROFA AUSPICIOSA

Que proteja a todos los seres el Dios Supremo,
quien tomando forma humana se apareció a
/Arjuna
en forma de conductor del carruaje
para eliminar su inquietud con la enseñanza
que le condujera a la liberación espiritual.

- Mangala: Estrofa de inicio invocando la protección divina.
- Krupammortih: Krishna es la compasión personificada.
- Parthasyartiharo: Con la intención de eliminar la desazón de Arjuna (Partha)
- Subham Giram: Instrucciones para el final auspicioso de liberación.

[1] Estos versos introductorios fueron escritos a propósito por Ramana Maharshi y no figuran en la Bhagavad Gita.

(2:1)

सञ्जय उवाच ।
तं तथा कृपयाविष्टमश्रुपूर्णाकुलेक्षणम्।
विषीदन्तमिदं वाक्यमुवाच मधुसूदनः॥

sañjaya uvāca:
taṁ tathā kṛpayāviṣṭamaśrupūrṇākulekṣaṇam,
viṣīdantamidaṁ vākyamuvāca madhusūdanaḥ.

Dijo Sanjaya:

Así habló Krishna – el vencedor de Madhu-,
al desconsolado Arjuna,
desbordado por la autocompasión y
sentado con llorosos ojos.

Para comprender esta primera estrofa escogida por Ramana Maharshi (y que abre el capítulo 2 de la Gita) hay que recordar que el capítulo 1 termina con Arjuna sentado en su carro de guerra, abrumado en el campo de batalla ante la perspectiva de tener que luchar contra sus familiares y preceptores en el otro bando (los Kurus o Kauravas) y sin saber si luchar o no contra ellos.

Apunta Swami Shantananda en su exposición que es importante recordar que en sánscrito el primer capítulo se llama *Vishada Yoga,* es decir el yoga, el camino, para unirse a Dios a través del sufrimiento.

Solía decir Sri Ramana: "En muchas ocasiones el desasosiego conduce a los hombres hacia Dios" ("Talks with Sri Ramana Maharshi", n.43)

DOS

(13:2)

श्रीभगवानुवाच:

इदं शरीरं कौन्तेय क्षेत्रमित्यभिधीयते ।

एतद्यो वेत्ति तं प्राहुः क्षेत्रज्ञ इति तद्विदः ॥

śrībhagavānuvāca:
idaṁ śarīraṁ kaunteya kṣetramityabhidhīyate,
etadyo vetti taṁ prāhuḥ kṣetrajña iti tadvidaḥ.

Dijo el Dios Krishna:

¡Oh, Arjuna, hijo de Kunti!
A este cuerpo lo llaman *Kshetra* (campo);
al conocedor del cuerpo
los sabios lo llaman *Kshetrajna.*

La persona es un campo. Lo que siembra en ese campo (buenas acciones o bien acciones que dañan a otros), es lo que la persona cosecha.

Por otro lado, quisiera aludir al hecho que numerosos comentaristas hindúes del Mahabarata (desde Aurobindo hasta el mismo Gandhi) han señalado la doble referencialidad de la epopeya: A) la guerra entre Pandavas y Kauravas; y al mismo tiempo, B) la lucha en el interior del ser humano.
Y *Kurushetra,* el campo del combate final, es asimismo el campo de batalla en el interior de todos nosotros.
Esta estrofa continúa y se aclara con la siguiente:

TRES

(13:3)

क्षेत्रज्ञं चापि मां विद्धि सर्वक्षेत्रेषु भारत ।

क्षेत्रक्षेत्रज्ञयोर्ज्ञानं यत्तज्ज्ञानं मतं मम ॥

kṣetrajñaṁ cāpi māṁ viddhi sarvakṣetreṣu bhārata,
kṣetrakṣetrajñayorjñānaṁ yattajjñānaṁ mataṁ mama.

Sabe también, ¡Oh, Barata! que Soy el Conocedor
del Campo en todos los Campos;
el conocimiento a la par del Campo y del
/Conocedor
es la verdadera iluminación y sabiduría.

[Traducción alternativa]

Sábete asimismo, ¡oh, Barata! que cada
conocedor individual
en todos los cuerpos son idénticos a Mí;
es este conocimiento superior de ambos
conocedores y cuerpos que Yo llamo
el conocimiento del Absoluto.

- Barata: Arjuna

Llegar a conocer al Yo como el Ser Supremo, eterno e
infinito, que mora en el corazón de todo ser, de todo
hombre y mujer, es la realización de la Verdad.
Krishna, Dios, es el *Kshetrajna,* y a su vez, idéntico al Yo.

CUATRO

*(10:20)

अहमात्मा गुडाकेश सर्वभूताशयस्थितः ।
अहमादिश्च मध्यं च भूतानामन्त एव च ॥

ahamātmā guḍākeśa sarvabhūtāśayasthitaḥ,
ahamādiśca madhyaṁ ca bhūtānāmanta eva ca.

¡Oh, Gudakesa! (Arjuna), Yo soy el Ser
que reside en el Corazón
de todo ser viviente; Soy el inicio,
el intermedio y el fin de todo ser.

Como ya hemos señalado en la introducción, según Bhagavan Sri Ramana, esta es la quintaesencia de la Bhagavad, la estrofa más importante y que de alguna forma lo resume.

Dice Sri Ramana Maharshi (Talks n. 591):
«El Ser puro es la Realidad última. El Ser puro no puede ser otra cosa que Consciencia. No podrías de otro modo decir que existes. Por tanto, la Consciencia es la Realidad. Hablamos de *upadhis* (sobreimposición o limitación) de la consciencia, hablamos de la consciencia del yo, consciencia humana, animal, etc. Pero indudablemente el factor que las subyace es la Consciencia».

CINCO

(2:27)

जातस्य हि ध्रुवो मृत्युर्ध्रुवं जन्म मृतस्य च ।
तस्मादपरिहार्येऽर्थे न त्वं शोचितुमर्हसि ॥

jātasya hi dhruvo mṛtyurdhruvaṁ janma mṛtasya ca,
tasmādaparihārye'rthe na tvaṁ śocitumarhasi.

De quien ha nacido, su muerte es cierta,
como cierta es la reencarnación del que muere;
por tanto, ¡oh, Arjuna! no te apenes
por aquello que es inevitable.

Dice Sri Ramana Maharshi (Talks n.80):

«Si un hombre o una mujer considera que ha nacido, no puede evitar el miedo a la muerte. Que averigüe primero si ha nacido o si el Yo realmente puede nacer. Descubrirá así que el Yo existe siempre, que el cuerpo que ha nacido se subsume en su mente y que el emerger de los pensamientos es la raíz de todos los males».

SEIS

(2:20)

न जायते म्रियते वा कदाचिन्

नायं भूत्वा भविता वा न भूयः ।

अजो नित्यः शाश्वतोऽयं पुराणो

न हन्यते हन्यमाने शरीरे ॥

na jāyate mriyate vā kadācin
nāyaṁ bhūtvā bhavitā vā na bhūyaḥ,
ajo nityaḥ śāśvato'yaṁ purāṇo
na hanyate hanyamāne śarīre.

Él (el Atman) jamás nace ni fenece;
no habiendo surgido, no puede así cesar de ser.
Él es innacido, sempiterno y desde antiguo.
Incluso si el cuerpo es muerto, Él permanece
/ indemne.

Dice Ramana (Talks n. 203):

«Por lo tanto, no existe nacimiento ni muerte. El despertar cada día es el nacimiento y el dormir es la muerte.
- ¿Y qué si alguien muere? Se libra así de las ataduras. El duelo por el muerto es la cadena que la mente forja para enlazarse al fallecido. No habrá pena si dejamos de lado este enfoque físico y la persona existe como Yo (la consciencia). El duelo por los seres queridos no es una buena señal de verdadero amor. Deja traslucir amor por los objetos y las formas. Eso no es amor. El verdadero

amor se muestra en la certeza que el objeto que amamos está en el Yo y que jamás puede dejar de ser y desaparecer».

(2:24)

अच्छेद्योऽयमदाह्योऽयमक्लेद्योऽशोष्य एव च ।
नित्यः सर्वगतः स्थाणुरचलोऽयं सनातनः ॥

acchedyo'yamadāhyo'yamakledyo'śoṣya eva ca,
nityaḥ sarvagataḥ sthāṇuracalo'yaṁ sanātanaḥ.

Él no puede ser hendido por un arma ni quemado
por el fuego; ni puede disolverse,
ni el aire puede desecarlo.
Es eterno, su presencia todo lo impregna,
es estable e inmóvil y es por siempre y para
/ siempre

(2:17)

अविनाशि तु तद्विद्धि येन सर्वमिदं ततम् ।

विनाशमव्ययस्यास्य न कश्चित्कर्तुमर्हति ॥

avināśi tu tadviddhi yena sarvamidaṁ tatam,
vināśamavyayasyāsya na kaścitkartumarhati.

Debes saber que solo Eso es imperecedero
pues impregna la totalidad del universo;
Eso que es indestructible e inmutable
nadie puede destruirlo.

NUEVE

(2:16)

नासतो विद्यते भावो नाभावो विद्यते सतः ।
उभयोरपि दृष्टोऽन्तस्त्वनयोस्तत्त्वदर्शिभिः ॥

nāsato vidyate bhāvo nābhāvo vidyate sataḥ,
ubhayorapi dṛṣṭo'ntastvanayostattvadarśibhiḥ.

Lo irreal *(asat)* no puede existir
mientras que lo Real nunca deja de ser;
la realidad de ambos *(sat/asat)* fue percibida
por los videntes de la Verdad última *(rishis)*.

Algunas estrofas del Mahabarata y de la Gita son deliberadamente ambiguas y a veces parecen adivinanzas. Cuenta la tradición hindú que en la mítica creación del Mahabarata hubo un reto entre Vyasa (su creador) y el dios Ganesa (que debía copiar el texto) y que de vez en cuando Vyasa dejaba caer acertijos y adivinanzas para así despistar a Ganesa de su tarea.

Sri Ramana Maharshi, deseando aclarar la duda a un discípulo entre el ser y lo irreal, dijo (Talks n. 13 y 203):

«Imagina una película. Tú eres la pantalla de cine. El Yo (Atmán) ha creado el ego, el ego genera pensamientos que aparecen como el mundo, árboles, plantas (como lo que se proyecta en la película). Tú me preguntas acerca de la realidad de esto.

En realidad, todo eso no es otra cosa que el Yo y si lo percibes te darás cuenta que lo es todo, siempre y en todo lugar».

DIEZ

(13:33)

यथा सर्वगतं सौक्ष्म्यादाकाशं नोपलिप्यते ।

सर्वत्रावस्थितो देहे तथात्मा नोपलिप्यते ॥

yathā sarvagataṁ saukṣmyādākāśaṁ nopalipyate,
sarvatrāvasthito dehe tathātmā nopalipyate.

Así como el éter (el espacio) que todo lo
/ impregna
jamás es contaminado ya que es tan sutil,
así también el Yo que vivifica todo el cuerpo
nunca es afectado o contaminado por él.

En este contexto, Swami Shatananda cita una historia del Srimad Bhagavatam (otra importante obra de la tradición espiritual hindú). El sabio Jadabharata era una persona realizada que por circunstancias estaba al servicio del rey Rahugana. Un día al sabio le tocó ser uno de los porteadores del palanquín real. El rey le echó la bronca por no hacerlo bien y entonces Jadabharata le contestó:
- La delgadez, la gordura, las enfermedades, las preocupaciones, el hambre, la sed, el miedo, las peleas, el deseo, la decrepitud, el hambre y el sueño, todas ellas afectan a quien considera que su cuerpo es el Yo (Atmán) y que nació con su cuerpo. A mí no me afectan ya que permanezco en el Yo y no poseo el sentimiento de ser un cuerpo.

También Ramana Maharshi se refirió a ello (Talks n. 244):

«El espíritu permanece siempre incontaminado. Es el sustrato en la base de los tres estados (vigilia, fase de sueño onírico y sueño profundo). El despertar (la vigilia) pasa y Yo permanezco; la fase de sueño onírico pasa y Yo permanezco; el sueño profundo pasa y Yo soy. Las fases se repiten pero el Yo permanece. Son como los fotogramas moviéndose sobre la pantalla de cine. Las imágenes no afectan a la pantalla».

ONCE

(15:6)

न तद्भासयते सूर्यो न शशांको न पावकः ।
यद्गत्वा न निवर्तंते तद्धाम परमं मम ॥

na tadbhāsayate sūryo na śaśāṅko na pāvakaḥ,
yadgatvā na nivartaṁte taddhāma paramaṁ mama.

Ni el sol, ni la luna, ni el fuego pueden iluminar
Eso (puesto que es auto-luminoso);
Ese estado es Mi morada final de donde las
/ personas
que la alcanzan no retornan al mundo.

Dice Sri Ramana Maharshi a este respecto (Talks n.181):

« ¿Qué es el nacimiento? El nacer es el nacimiento del ego. Una vez que nacemos debemos llegar a algún lado. Pero si llegas, debes también regresar. Por tanto, olvidaos de toda palabrería. Se quien en realidad Eres. Percibe quien eres y permanece en el Yo, libre de nacimiento, del movimiento y de idas y venidas».

DOCE

(8:21)

अव्यक्तोऽक्षर इत्युक्तस्तमाहुः परमां गतिम् ।
यं प्राप्य न निवर्तन्ते तद्धाम परमं मम ॥

avyakto'kṣara ityuktastamāhuḥ paramāṁ gatim,
yaṁ prāpya na nivartante taddhāma paramaṁ mama.

Lo que es inmanifestado es también
imperecedero; esa es Mi Morada y a Eso
lo llaman el Estado Supremo,
del que una vez alcanzado
no se regresa al mundo.

TRECE

(15:5)

निर्मानमोहा जितसंगदोषा
अध्यात्मनित्या विनिवृत्तकामाः ।
द्वन्द्वैर्विमुक्ताः सुखदुःखसंज्ञैः
गच्छन्त्यमूढाः पदमव्ययं तत् ॥

nirmānamohā jitasaṅgadoṣā
adhyātmanityā vinivṛttakāmāḥ,
dvandvairvimuktāḥ sukhaduḥkhasaṁjñaiḥ
gacchantyamūḍhāḥ padamavyayaṁ tat.

[Los seres realizados…]
Sin orgullo, ni engaños, habiendo vencido
la tacha del apego, siempre asentados en el Yo,
abandonado todo deseo y liberados de la
dualidad de placer y dolor,
esos alcanzan con certeza Mi Inmutable Morada.

Escuchemos a Sri Ramana:
«Si abandonas "yo" y "mío", todos los males se van de un plumazo. Hasta la más pequeña semilla de egoísmo y posesión desaparece. Así el mal se corta por lo sano.
El desapego *(vairagya)* debe ser muy fuerte para poder hacerlo». (Talks n. 28)

Sobre los pares de opuestos (lo que me gusta y lo que no, placer y dolor) dice Sri Ramana Maharshi (Talks n. 244):

«El placer consiste en afinar la mente y conducirla al interior; el dolor es enviarla al exterior. Solo existe el placer en realidad. La ausencia de placer la llamamos pena y dolor. La naturaleza propia es *Ananda,* gozo».

CATORCE

(16:23)

यः शास्त्रविधिमुत्सृज्य वर्तते कामकारतः ।
न स सिद्धिमवाप्नोति न सुखं न परां गतिम् ॥

yaḥ śāstravidhimutsṛjya vartate kāmakārataḥ,
na sa siddhimavāpnoti na sukhaṁ na parāṁ gatim.

Quien desecha las instrucciones de las escrituras
y actúa bajo la influencia de sus deseos,
no conseguirá ni las metas terrenales,
ni la perfección, ni la felicidad, ni la realización.

QUINCE

(13:28)*

समं सर्वेषु भूतेषु तिष्ठन्तं परमेश्वरम्

विनश्यत्स्वविनश्यन्तं यः पश्यति स पश्यति ॥

samaṁ sarveṣu bhūteṣu tiṣṭhantaṁ parameśvaram
vinaśyatsvavinaśyantaṁ yaḥ paśyati sa paśyati.

Quien percibe al Dios supremo
residiendo en todos los seres por igual
y que Él no perece cuando los otros mueren,
únicamente ese ve la Realidad.

* Existe un error que aparece en todas las ediciones que he visto, incluida la original de Ramanasramam, ya que dice referirse al capítulo 13:27 de la Gita, pero se trata en realidad del 13:28. Nos hemos asegurado que es la estrofa correcta.

Este es el mensaje de Sri Ramana Maharshi (Talks, n. 450)

«El ignorante piensa por razón de su ignorancia que ve el universo en formas diversas. Pero si contemplara su Yo, entonces no se da cuenta de su separación del universo. Shiva (Dios) se ve como el cosmos. Pero el que ve no percibe el fondo, lo que está detrás. Es igual que el hombre que ve la ropa pero no el tejido de algodón de la que está hecha; o también como el hombre que lee las letras del escrito pero no ve el papel en las que están escritas. Todos los objetos son en realidad Consciencia y formas. La persona normal ve los objetos en el universo pero no a Shiva en las formas. [...] Dicho de otro modo, Shiva (Dios) es el fondo que subyace detrás de tanto el sujeto como el objeto».

DIECISEIS

(11:54)

भक्त्या त्वनन्यया शक्य अहमेवंविधोऽर्जुन ।

ज्ञातुं द्रष्टुं च तत्वेन प्रवेष्टुं च परंतप ॥

bhaktyā tvananyayā śakya ahamevaṁvidho'rjuna,
jñātuṁ draṣṭuṁ ca tatvena praveṣṭuṁ ca paraṁtapa.

¡Oh, Arjuna, tormento de tus enemigos!
Solamente a través de la devoción dirigida a Mí,
el Señor, puedo ser conocido y vislumbrado
y se puede entrar en mi esencia.

Sri Ramana Maharshi afirmó en numerosas ocasiones que no hay diferencia entre *bhakti* (devoción) y *jnana* (conocimiento):

«*Bhakti* es *jnana*. Cuando la mente se desvanece a los pies de Shiva es la devoción». (Talks n. 428)

Bhagavan también definió *bhakti* como rendición o entrega:
«Deja todo en manos de Dios. Él llevará la carga. Así ya no tendrás más preocupaciones. Ahora todos tus pesares son Suyos. Esa es la entrega. Esto es *bhakti*». (Talks n. 450)

Y todavía va más allá: *bhakti* es *mukti* (la liberación o la realización):

«*Bhakti* y *mukti* no se diferencian en nada. Bhakti es vivir en el Yo. Siempre se es el Yo pero cada persona llega a la realización a través de los medios que adopte.
¿Qué es bhakti? Pensar en Dios. Eso significa que ese pensamiento prepondera y excluye el resto de pensamientos. La ausencia de pensamientos es bhakti y a la vez eso es Mukti». (Talks n. 650)

DIECISIETE

(17:3)

सत्त्वानुरूपा सर्वस्य श्रद्धा भवति भारत ।

श्रद्धामयोऽयं पुरुषो यो यच्छ्रद्धः स एव सः ॥

sattvānurūpā sarvasya śraddhā bhavati bhārata,

śraddhāmayo'yaṁ puruṣo yo yacchraddhaḥ sa eva saḥ.

¡Oh, Barata! La fe de cada ser humano
viene dada según su carácter y su disposición
mental. La fe constituye al hombre.
En el modo en que el hombre
y la mujer tienen fe, así son ellos.

- Barata: Arjuna

Bhagavan Sri Ramana Maharshi dijo de modo muy simple esta verdad (Talks n.381):

«Fe *(sraddha)*, la Gracia de Dios, la Luz y el Espíritu son todos sinónimos del Yo (Atmán) ».

(4:39)

श्रद्धावाँल्लभते ज्ञानं तत्परः संयतेन्द्रियः ।
ज्ञानं लब्ध्वा परां शान्तिमचिरेणाधिगच्छति ॥

śraddhāvāṁ labhate jñānaṁ tatparaḥ saṁyatendriyaḥ,
jñānaṁ labdhvā parāṁ śāntimacireṇādhigacchati.

Quien posee una fe acendrada
y a través de esa fe controla sus sentidos,
logra alcanzar el Conocimiento y tras él
pronto alcanza la Paz Suprema (la liberación).

Cuando hablamos de Conocimiento *(jnana)* no hablamos ni del conocimiento mundano ni del conocimiento que proporcionan los libros. Sri Ramana dice al respecto (Talks n.68):

«Este conocimiento que nos conduce a la Realización difiere del conocimiento mundano ordinario en el que existe un sujeto y un objeto. Es el Conocimiento absoluto».

DIECINUEVE

(10:10)

तेषां सततयुक्तानां भजतां प्रीतिपूर्वकम् ।
ददामि बुद्धियोगं तं येन मामुपयान्ति ते ॥

teṣāṁ satatayuktānāṁ bhajatāṁ prītipūrvakam,
dadāmi buddhiyogaṁ taṁ yena māmupayānti te.

A aquellos que están asentados en la contemplación del Yo y que me veneran con devoción, Yo (el Ser Supremo)
les concedo *Buddhi yoga,* la percepción de la Realidad última y a través de ella llegan a Mí.

Satata yuktanam o *Satata Smaranam* es el constante recuerdo y pensamiento en Dios, en cualquier momento del día, se esté haciendo lo que sea que fuere durante la jornada.

También, siguiendo a Swami Shantanda en su edición, hay que aclarar que *buddhi yoga* no tiene que ver con el intelecto, no es una comprensión puramente mental. Adi Shankara en su *Bhagavadgita Bashya* lo interpreta como la correcta percepción de la Realidad.

La estrofa siguiente lo completa.

VEINTE

(10:11)

तेषामेवानुकम्पार्थमहमज्ञानजं तमः ।

नाशयाम्यात्मभावस्थो ज्ञानदीपेन भास्वता ॥

teṣāmevānukampārthamahamajñānajaṁ tamaḥ,
nāśayāmyātmabhāvastho jñānadīpena bhāsvatā.

A los que permanecen en su Yo y en su Corazón,
por la compasión que siento hacia ellos y ellas,
Yo destruyo con la Luz resplandeciente del
/Conocimiento
toda oscuridad nacida de su ignorancia.

Escuchemos a Sri Ramana (Talks n. 29):

«La Gracia divina es esencial para la autorrealización. Ella nos conduce a la realización de la divinidad».

Y en otro lugar de "Talks" Bhagavan se refiere a la importancia del Corazón, pero no el órgano físico.

«Decimos que Dios está en el corazón para ayudar al hombre sumido en la ignorancia. Pero Todo es el Yo. No hay nada fuera de eso. De modo que deberíamos decir que el corazón es el cuerpo entero. Para ayudar a los devotos que practican *(abhyasi)* hay que señalar un lugar determinado en el universo o en el cuerpo. Así que

indicamos el corazón como el lugar donde se asienta el Yo, pero en realidad está en todas partes.
Somos todo lo que existe y no hay nada más». (Talks n. 29)

VEINTIUNO

(5:16)

ज्ञानेन तु तदज्ञानं येषां नाशितमात्मनः ।

तेषामादित्यवज्ज्ञानं प्रकाशयति तत्परम् ॥

jñānena tu tadajñānaṁ yeṣāṁ nāśitamātmanaḥ,
teṣāmādityavajjñānaṁ prakāśayati tatparam.

En verdad, a quienes el Conocimiento del Yo
ha destruido su ignorancia, dicho discernimiento
les revela la Verdad Suprema,
tal como el astro rey revela e ilumina los objetos.

Respecto al conocimiento y la ignorancia Ramana Maharshi dijo categóricamente (Talks n.396):

«Pensar "yo soy el cuerpo" es ignorancia; que el cuerpo no está separado del Yo es el Conocimiento. Esa es la diferencia entre ellos».

VEINTIDOS

(3:42)

इन्द्रियाणि पराण्याहुरिन्द्रियेभ्यः परं मनः ।

मनसस्तु परा बुद्धिर्यो बुद्धेः परतस्तु सः ॥

indriyāṇi parāṇyāhurindriyebhyaḥ paraṁ manaḥ,

manasastu parā buddhiryo buddheḥ paratastu saḥ.

Se dice que los cinco sentidos son más
sofisticados que el cuerpo físico;
y se dice que la mente es más elevada
que los sentidos y que el intelecto es aún superior
pero más elevado todavía es el Yo (Atmán).

Respecto al intelecto dice Ramana:

«El intelecto (la mente) es un instrumento del Yo (Atmán). El Yo utiliza al intelecto para medir la variedad. El intelecto ni es el Yo, ni está separado de Él. Solo el Yo es eterno. El intelecto (la mente) es un fenómeno parcial». (Talks n. 112)

« ¿Por qué se desarrolló la mente, el intelecto? Sirve un propósito. Esa finalidad es que nos debe mostrar el camino a la realización del Yo. Debe ser parte de esa utilización». (Talks n. 644)

VEINTITRES

(3:43)

एवं बुद्धेः परं बुद्ध्वा संस्तभ्यात्मानमात्मना ।

जहि शत्रुं महाबाहो कामरूपं दुरासदम् ॥

evaṁ buddheḥ paraṁ buddhvā
saṁstabhyātmānamātmanā,
jahi śatruṁ mahābāho kāmarūpaṁ durāsadam.

[continúa el mensaje de la estrofa precedente]

Sabiendo así que el Yo es superior al intelecto,
asentando tu yo a través del Yo,
¡Oh, Arjuna de poderosos brazos! Elimina
a tu enemigo en forma de deseo casi invencible.

Acerca del deseo, nos dice Sri Ramana Maharshi (Talks n. 575):

«Los deseos en forma de deseo sexual, cólera, etc. nos apenan. ¿Por qué? A causa de la arrogancia del yo. Este engaño proviene de la ignorancia. Cuando el ego no surge, desaparece la cadena de percances a que da lugar. Por tanto, evita la aparición del ego. Esto se puede realizar permaneciendo en tu naturaleza original; entonces, se gana la batalla al deseo carnal, la cólera, etc. »

VEINTICUATRO

(4:37)

यथैधांसि समिद्धोऽग्निर्भस्मसात्कुरुतेऽर्जुन ।

ज्ञानाग्निः सर्वकर्माणि भस्मसात्कुरुते तथा ॥

yathaidhāṁsi samiddho'gnirbhasmasātkurute'rjuna,
jñānāgniḥ sarvakarmāṇi bhasmasātkurute tathā.

¡Oh, Arjuna! Así como el ardiente fuego
reduce a cenizas la madera,
de igual modo, el fuego del Conocimiento
reduce las acciones a cenizas.

Es decir, desaparece el autor de las acciones. Por eso solía decir Sri Ramana Maharshi que «un *jnani* no tiene karma».

VEINTICINCO

(4:19)

यस्य सर्वे समारम्भाः कामसङ्कल्पवर्जिताः ।
ज्ञानाग्निदग्धकर्माणं तमाहुः पण्डितं बुधाः ॥

yasya sarve samārambhāḥ kāmasaṅkalpavarjitāḥ,
jñānāgnidagdhakarmāṇaṁ tamāhuḥ paṇḍitaṁ budhāḥ.

La persona cuyas actividades se realizan
sin motivación o deseo, cuyas acciones
se han quemado en el fuego del conocimiento,
a esa persona se denomina "sabio" - *(budha).*

Sri Ramana lo deja bien claro (Talks n. 20):

«El trabajo llevado a cabo con apego es una atadura, mientras que el trabajo realizado con desapego nunca afecta a quien lo lleva a cabo. Esa persona, incluso inmerso en el trabajo, permanece en soledad».

VEINTISEIS

(5:26)

कामक्रोधवियुक्तानां यतीनां यतचेतसाम् ।

अभितो ब्रह्मनिर्वाणं वर्तते विदितात्मनाम् ॥

kāmakrodhaviyuktānāṁ yatīnāṁ yatacetasām,
abhito brahmanirvāṇaṁ vartate viditātmanām.

Alrededor de los Sabios ascetas libres de deseo y
enojo, que a su vez han subyugado su mente
y han realizado el Yo, el estado Supremo,
la beatífica Paz de Brahmán se irradia por
/ doquier.

Cuando un devoto preguntó a Sri Ramana Maharshi si debía librarse del deseo carnal y del enfado, Bhagavan le respondió:

«Elimina y olvida los pensamientos. No necesitas abandonar nada más. Tu Yo debe estar ahí para darse cuenta. Siempre está. Es el Yo, el Atmán. El Yo está siempre consciente». (Talks n. 41)

VEINTISIETE

(6.25)

शनैः शनैरुपरमेद् बुद्ध्या धृतिगृहीतया ।
आत्मसंस्थं मनः कृत्वा न किंचिदपि चिन्तयेत् ॥

śanaiḥ śanairuparamed buddhyā dhṛtigṛhītayā,
ātmasaṁsthaṁ manaḥ kṛtvā na kiṁcidapi cintayet.

Pasito a paso se debe conducir la mente a la paz
y la tranquilidad, utilizando el juicio de modo
/ equilibrado,
con la mente asentada en el Yo-Atmán,
sin pensamiento ninguno.

Escuchemos a Sri Ramana (Talks n. 294):

«Cuando los pensamientos cruzan la mente y se realiza un esfuerzo para eliminarlos, a ese esfuerzo lo solemos llamar "meditación". Sin embargo, *Atmanishta* (permanecer establecido en Atmán) es tu verdadera naturaleza. Se como eres en realidad. Permanece como eres. Ese es el propósito final».

Continúa en la siguiente estrofa.

VEINTIOCHO

(6.26)

यतो यतो निश्चरति मनश्चंचलमस्थिरम् ।
ततस्ततो नियम्यैतदात्मन्येव वशं नयेत् ॥

yato yato niścarati manaścaṁcalamasthiram,
tatastato niyamyaitadātmanyeva vaśaṁ nayet.

De allí a donde la mente vague,
ya que es inestable y cambiante por naturaleza,
debes retirarla hacia tu interior
y conducirla bajo el influjo de Atmán únicamente.

Sri Ramana Maharshi se refirió directamente a esta estrofa:

«Se dice en la Bhagavad Gita que la naturaleza de la mente es vagar. Así que debes conducir tus pensamientos hacia Dios y sobre Dios. Con la práctica la mente se controla y se calma.

El deambular de la mente es una flaqueza derivada de la disipación de la energía mental en forma de pensamientos. Cuando logramos que la mente se adhiera a un pensamiento, se conserva energía y la mente se hace más potente». Talks n. 91)

Y también en otro lugar, dijo (Talks n. 287):

«*Vairagya* es la ausencia de pensamientos dispersos. *Abhyasa* es la concentración en un único pensamiento. Ambas son, respectivamente, el aspecto positivo y negativo de la meditación».

VEINTINUEVE

(5:28)

यतेन्द्रियमनोबुद्धिर्मुनिर्मोक्षपरायणः ।

विगतेच्छाभयक्रोधो यः सदा मुक्त एव सः ॥

yatendriyamanobuddhirmunirmokṣaparāyaṇaḥ,
vigatecchābhayakrodho yaḥ sadā mukta eva saḥ.

Habiendo subyugado los sentidos, la mente y el
intelecto, el santo que busca ardientemente la
emancipación (moksha)
sin deseos, ni temores ni enojos,
permanece siempre asentado en la Liberación.

Sri Ramana Maharshi (Talks n. 523):

«¿Cómo se forman las pasiones? Su impulso es el deseo de felicidad o de gozar de los diversos placeres. ¿De dónde surge el deseo de felicidad? Es porque tu propia naturaleza es Felicidad y es natural que desees regresar a lo que es tuyo. Esa felicidad no se encuentra en ningún lado que no sea el Yo (Atmán). No la busquéis en otro lugar. Pero buscad el Yo y permaneced en Él».

TREINTA

(6:29)

सर्वभूतस्थमात्मानं सर्वभूतानि चात्मनि ।

ईक्षते योगयुक्तात्मा सर्वत्र समदर्शनः ॥

sarvabhūtasthamātmānaṁ sarvabhūtāni cātmani,
īkṣate yogayuktātmā sarvatra samadarśanaḥ.

Aquél cuya mente está controlada
ya que sigue el camino de *yoga*
y considera todo y a todos con imparcialidad,
ese percibe el Yo en todos los seres
y a todos los seres como parte del Yo.

En dos palabras: comprende que no existe nada aparte de su Yo-Atmán y ve que su propio Yo reside en todos los seres. O en palabras de Sri Ramana:
«El Atmán es lo único que existe; sólo el Atmán tiene existencia».

TREINTA Y UNO

(9:22)

अनन्याश्चिन्तयन्तो मां ये जनाः पर्युपासते ।
तेषां नित्याभियुक्तानां योगक्षेमं वहाम्यहम् ॥

ananyāścintayanto māṁ ye janāḥ paryupāsate,
teṣāṁ nityābhiyuktānāṁ yogakṣemaṁ vahāmyaham.

Es Mi labor asegurar y proteger el bienestar
de aquellos que de manera firme y enfocada
meditan en Mí, y que permanecen así
compenetrados y unidos a Mí.

Me parece muy apropiado el comentario que hace Swami Shantanandi Puri cuando indica que la *sadhana* (trabajo espiritual) más elevada es la completa rendición ante Dios.

Si nos rendimos por completo, incluyendo nuestra mente, todas nuestras necesidades en esta vida nos serán proporcionadas por la divinidad.

Y, por supuesto, esto vale para todas las religiones.

(7:17)

तेषां ज्ञानी नित्ययुक्त एकभक्तिर्विशिष्यते ।

प्रियो हि ज्ञानिनोऽत्यर्थमहं स च मम प्रियः ॥

teṣāṁ jñānī nityayukta ekabhaktirviśiṣyate,
priyo hi jñānino'tyarthamahaṁ sa ca mama priyaḥ.

Entre todos los *bhaktas* (devotos), el *jnani,*
que está siempre en unión conmigo y cuya
devoción se centra en la Unidad,
es el más excelente; por ello el *jnani*
me es especialmente querido y Yo lo soy para él.

-Jnani: el hombre o mujer que ha logrado el Conocimiento último. Quien usa la vía del yoga del Conocimiento.

Hablamos del *jnani* como una categoría, pero en ese contexto es esencial la aclaración de Sri Ramana (Talks n.499):

«En realidad no existe *jnana* (la sabiduría) como la gente lo entiende. Las ideas habituales acerca de *jnana* y *ajnana* (la sabiduría y la ignorancia) valen solo relativamente y son falsas. No son reales y, por tanto, no permanecen. El estado Real es el Yo sin dualidades. Es Eterno y siempre permanece, nos demos cuenta o no».

TREINTA Y TRES

(7:19)

बहूनां जन्मनामन्ते ज्ञानवान्मां प्रपद्यते ।

वासुदेवः सर्वमिति स महात्मा सुदुर्लभः ॥

bahūnāṁ janmanāmante jñānavānmāṁ prapadyate,
vāsudevaḥ sarvamiti sa mahātmā sudurlabhaḥ.

Al final de innumerables vidas, el *jnani*
se encuentra Conmigo al comprender
que todo es Dios (Vasudeva);
ese espíritu tan elevado es muy difícil de hallar.

Sri Ramana Maharshi (Talks n. 106):

«Un *jnani* no encuentra nada ni nadie separado del Yo. Todo y todos están en el Yo. Es equivocado imaginar que existe el mundo, que hay un cuerpo en el interior del mundo y que la persona habita ese cuerpo. Si se alcanza la Verdad se dará usted cuenta que el universo y lo que está más allá es solo el Yo».

TREINTA Y CUATRO

(2:55)

श्रीभगवानुवाच

प्रजहाति यदा कामान्सर्वान्पार्थ मनोगतान् ।

आत्मन्येवात्मना तुष्टः स्थितप्रज्ञस्तदोच्यते ॥

śrībhagavānuvāca:
prajahāti yadā kāmānsarvānpārtha manogatān,
ātmanyevātmanā tuṣṭaḥ sthitaprajñastadocyate.

Así habló el Dios Krishna:

¡Oh, Parta! Cuando se desechan todos los deseos
que residen en la mente y ese ser se halla satisfecho en
su Yo, deleitándose en el gozo del Yo,
a ese lo llamo persona de firme Sabiduría.

-Partha, Parta: Arjuna
- Persona de firme Sabiduría: sthita prajna en sánscrito, un término muy importante en el Hinduismo.

Acerca de los deseos, dice Sri Ramana (Talks n. 495):

«Cuanto más satisfacemos nuestros deseos, tanto más profundos crecen los/las *samskaras*[2]. En vez de reforzarlas deben debilitarse para que al final dejen de afirmar su influencia».

---

[2] Samskaras: Impresiones sutiles que nos dejan cada una de las acciones que realizamos.

TREINTA Y CINCO

(2:71)

विहाय कामान्यः सर्वान्पुमांश्चरति निःस्पृहः ।
निर्ममो निरहंकारः स शान्तिमधिगच्छति ॥

vihāya kāmānyaḥ sarvānpumāṁścarati niḥspṛhaḥ,
nirmamo nirahaṅkāraḥ sa śāntimadhigacchati.

Habiéndose desprendido de todo deseo,
yendo por la vida sin avidez, libre del sentimiento
de 'yo' y 'mío', esa persona alcanza la Paz final
que es asimismo la Liberación.

Swami Shantananda Puri, en su edición de este librito, comenta que esta estrofa de la Gita está relacionada con la misma idea tal como viene expresada en el Katho Upanishad:

"Una vez que los deseos, que tienen su asiento en el corazón de la gente, nos abandonan, esa persona mortal se hace inmortal y se convierte en Brahmán (el Ser Supremo) aquí y ahora".

TREINTA Y SEIS

(12:15)

यस्मान्नोद्विजते लोको लोकान्नोद्विजते च यः ।

हर्षामर्षभयोद्वेगैर्मुक्तो यः स च मे प्रियः ॥

yasmānnodvijate loko lokānnodvijate ca yaḥ,
harṣāmarṣabhayodvegairmukto yaḥ sa ca me priyaḥ

Ese/Esa que no perturba al mundo,
y a quienes el mundo no perturba,
a quienes la exultación, el temor y la agitación
ya no afectan, esos son Mis predilectos.

Si alguien se siente reflejado o reflejada en esta clara descripción de la Gita, puede decirse que ha llegado al final de su camino y su búsqueda espiritual.

TREINTA Y SIETE

(14:25)

मानापमानयोस्तुल्यस्तुल्यो मित्रारिपक्षयोः ।

सर्वारम्भपरित्यागी गुणातीतः स उच्यते ॥

mānāpamānayostulyastulyo mitrāripakṣayoḥ,
sarvārambhaparityāgī guṇātītaḥ sa ucyate.

Quien mantiene su armonía por igual en los honores y en el deshonor,
tratando por igual a amigo y enemigo
y ha abandonado toda acción*, lo llamo la persona que ha trascendido las tres *gunas*.

*Hay que entender: excepto las necesarias para la supervivencia del cuerpo.

- Gunas: Los tres modos o modalidades de lo existente: sattva, rajas y tamas
- Gunatita: que ha trascendido, ido más allá de la limitación de las gunas.

Respecto a las tres gunas, dice Sri Ramana Maharshi (Talks n.73):

«En cuanto a ellas (las gunas), el ser impuro se da cuando la persona se ve dominada y abrumada por *rajas* y *tamas;* el ser intermedio se da cuando *satva* aparece momentáneamente. En el estadio *suddha satva* (el ser puro), *satva* ha dominado a *rajas* y *tamas*. Tras estos estadios, sólo existe el estado de haber trascendido las gunas».

TREINTA Y OCHO

(3:17)

यस्त्वात्मरतिरेव स्यादात्मतृप्तश्च मानवः ।
आत्मन्येव च संतुष्टस्तस्य कार्यं न विद्यते ॥

yastvātmaratireva syādātmatṛptaśca mānavaḥ,
ātmanyeva ca saṁtuṣṭastasya kāryaṁ na vidyate.

Para quien se deleita en el Yo-Atmán,
sintiéndose gratificado en su Yo
y se regocija en su Yo-Atmán,
esa persona no tiene deber que cumplir.

Siguiendo el *Ashtavakra Gita,* otro texto querido de Ramana Maharshi, la persona liberada en vida es como una hoja seca: ya no puede desecarse más, ni puede moverse a voluntad. Pero cuando el viento sopla, la mueve de acá para allá. Desde el exterior parece que la hoja se mueve por sí misma, pero no es cierto.

El sentido de esta estrofa continúa en la siguiente.

TREINTA Y NUEVE

(3:18)

नैव तस्य कृतेनार्थो नाकृतेनेह कश्चन ।

न चास्य सर्वभूतेषु कश्चिदर्थव्यपाश्रयः ॥

naiva tasya kṛtenārtho nākṛteneha kaścana,
na cāsya sarvabhūteṣu kaścidarthavyapāśrayaḥ.

[la persona realizada, el jivanmukta…]

Esa persona realiza su trabajo y sus acciones sin propósito; cuando no realiza acciones, tampoco hay en ello designio alguno.
No depende de nada ni nadie
pues para él los seres no cumplen función alguna.

No se puede expresar con más claridad la absoluta libertad de un *jivanmukta,* liberado en vida.

CUARENTA

(4:22)

यदृच्छालाभसंतुष्टो द्वन्द्वातीतो विमत्सरः ।

समः सिद्धावसिद्धौ च कृत्वापि न निबध्यते ॥

yadṛcchālābhasaṁtuṣṭo dvandvātīto vimatsaraḥ,
samaḥ siddhāvasiddhau ca kṛtvāpi na nibadhyate.

Satisfecho-a con lo que el azar traiga,
habiendo trascendido los pares de opuestos,
libre de mala saña, equilibrado tanto en el éxito
como en el fracaso, trabaja mas su hacer no le
/ ata.

Swami Shantananda Puri apunta que esta estrofa está íntimamente ligada al sentido de la estrofa 24 de este Gitasarah.

CUARENTA Y UNO

(18:61)

ईश्वरः सर्वभूतानां हृद्देशेऽर्जुन तिष्ठति ।

भ्रामयन्सर्वभूतानि यन्त्रारूढानि मायया ॥

īśvaraḥ sarvabhūtānāṁ hṛddeśe'rjuna tiṣṭhati,
bhrāmayansarvabhūtāni yantrārūḍhāni māyayā.

¡Oh, Arjuna! El Señor mora en el centro
del corazón de todos los seres y por Su misterioso
poder los hace moverse como si fuesen
marionetas en un espectáculo de feria.

Sri Ramana Maharshi (Talks n. 210):

«El hombre (y la mujer) deben su movimiento a otro Poder que no está en ellos y, sin embargo, ellos piensan que lo hacen todo ellos (tan ridículo como la historia del hombre lisiado que decía que si le ayudaban a levantarse el sólo lucharía contra el enemigo y los pondría a la fuga).

Su ego debe su origen a un Poder Superior, del que depende su existencia. ¿Por qué parlotear "yo hago esto, yo actúo así, así es como yo funciono"?».

CUARENTA Y DOS

(18:62)

तमेव शरणं गच्छ सर्वभावेन भारत ।

तत्प्रसादात्परां शान्तिं स्थानं प्राप्स्यसि शाश्वतम् ॥

tameva śaraṇaṁ gaccha sarvabhāvena bhārata,
tatprasādātparāṁ śāntiṁ sthānaṁ prāpsyasi śāśvatam.
OM

Ríndete ante Él con todo tu ser,
¡oh, Barata! por medio de su Gracia
alcanzarás la Eterna Morada
que es la Paz Suprema.

OM

Este es comentario de Sri Ramana Maharshi respecto a 'rendirse ante Dios':

«Ríndete con todo tu ser. Tienes que hacer una de dos: o bien rendirte ante Dios ya que admites tu incapacidad de hacerlo y que necesitas un Poder elevado para ayudarte, o bien investiga en tu interior la causa de tu desdicha, vuelve hacia el origen y fúndete con tu Yo. En cualquiera de los dos casos te librarás de tus pesares. Dios nunca abandona a quien se ha entregado a Él». (Talks n.363)

Y también en otro lugar:

«Rendirse o entregarse a Dios consiste en abandonarse a sí mismo y a nuestras posesiones ante la Piedad de Dios. Entonces, ¿qué nos queda? Nada, ni uno mismo ni sus pertenencias. Ni el nacimiento ni la muerte nos causa terror. La causa del temor era el cuerpo, pero ya no nos pertenece. ¿Por qué iba a tener miedo ahora? ¿Dónde está la identidad del individuo de manera que este pueda padecer miedo?».

Y todavía en la siguiente cita, tan breve y tan certera:

«La rendición o entrega (a Dios) es sinónimo de Gozo (Ananda) ».

CODA (escrita por Sri Ramana Maharshi)

Él (Krishna) que sentado en el carruaje de Arjuna
le enseñó este evangelio
y le liberó de su desazón,
¡Que Él, siendo la Gracia personificada,
nos libre a todos nosotros!

Om Tat Sat.

PLEGARIA FINAL (que aparece en la edición de Ramanasramam)

Así ha sido y brillado con su luz
esta quintaesencia de la Gita
que consiste en los versos seleccionados
por Bhagavan Sri Ramana Maharshi.

Quien estudie con interés y devoción
estas estrofas, cuarenta y dos en total,
alcanzará fácilmente el conocimiento
que la Gita nos imparte.

Que la Gracia de Sri Ramana Maharshi nos permita realizar la Paz y el Gozo del Yo trascendental.
OM